Les héros de ma classe

Catalogage avant publication de Bibliothèque et Archives nationales
du Québec et Bibliothèque et Archives Canada

Titre: La bataille épique de Boris / Jocelyn Boisvert; illustrations, Philippe Germain.
Noms: Boisvert, Jocelyn, 1974- auteur. | Germain, Philippe, 1963- illustrateur.
Collections: Boisvert, Jocelyn, 1974- Héros de ma classe; 13.
Description: Mention de collection: Les héros de ma classe; 13
Identifiants: Canadiana 20190034033 | ISBN 9782895914075
Classification: LCC PS8553.O467838 B38 2020 | CDD jC843/.54—dc23

Tous droits réservés
Dépôts légaux: 1er trimestre 2020
Bibliothèque nationale du Québec
Bibliothèque nationale du Canada
ISBN 978-2-89591-407-5

Illustrations: Philippe Germain
Mise en pages: André Ferland
Révision et correction: Bla bla rédaction

© 2020 Les éditions FouLire inc.
4339, rue des Bécassines
Québec (Québec) G1G 1V5
CANADA
Téléphone: 418 628-4029
Sans frais depuis l'Amérique du Nord: 1 877 628-4029
Télécopie: 418 628-4801
info@foulire.com

Les éditions FouLire reconnaissent l'aide financière du gouvernement du Canada pour leurs
activités d'édition.

Elles remercient la Société de développement des entreprises culturelles
du Québec (SODEC) pour son aide à l'édition et à la promotion.

Elles remercient également le Conseil des arts du Canada de l'aide accordée à leur
programme de publication.

Gouvernement du Québec – Programme de crédit d'impôt pour l'édition de livres –
gestion SODEC

Imprimé avec des encres végétales sur
du papier dépourvu d'acide et de chlore
et contenant 10 % de matières recyclées
post-consommation.

Canadä

Conseil des arts   Canada Council
du Canada   for the Arts

IMPRIMÉ AU CANADA / PRINTED IN CANADA

LES HÉROS de MA CLASSE

Jocelyn Boisvert

La bataille épique de BORIS

Illustrateur : Philippe Germain

ÉDITIONS
FouLire

AVERTISSEMENT

Le livre que tu as entre les mains comporte – hélas ! – des scènes de violence. Il suffit de lire le titre pour deviner que notre ami Boris prendra part à une bagarre.

Mais je tiens à rassurer les parents et les enseignants de nos bien-aimés lecteurs : le héros de cet épisode fera tout pour éviter les échanges de coups. (N'oublions pas que *Les héros de ma classe* est une série qui convient à un public de tout âge.)

Toutefois, selon les choix qui seront effectués, il n'est pas impossible qu'un personnage reçoive, à un moment ou à un autre de l'histoire, une taloche ou un coup de poing. Ne t'inquiète pas ! En tant que narrateur de ce livre, je tenterai vaillamment[1] de raisonner mes personnages afin que le combat attendu demeure aussi pacifique que possible.

Merci de ta compréhension.

---

1. Tu as ma parole.

1

À ta naissance, tes parents t'ont nommé Boris. Depuis, tu as grandi, mais pas tant que ça, car tu as toujours été le plus petit de ta classe.

Le plus petit et sans doute le plus gentil aussi. Tu es un garçon souriant qui n'élève jamais la voix. Pas le genre d'élève à te chicaner pour rien avec tes camarades[2].

Tu ne le crierais pas sur tous les toits, mais tu aimes bien l'école. Un peu moins ces temps-ci, toutefois. À cause de Carl Lebœuf, un élève de

---

2. Bravo, Boris ! Le monde a besoin de personnes comme toi, mon cher.

sixième qui est gros comme un bœuf et qui a toujours l'air bête[3].

Depuis quelques semaines, il n'arrête jamais de te harceler[4]. Il t'oblige à te coucher, à t'asseoir, à tourner sur toi-même, comme si tu étais un chien.

Parfois, il te plaque contre les casiers, comme un joueur de hockey, ou te fait une jambette dans les corridors. Et si tu as le malheur de rouspéter, il te fixe avec de grands yeux méchants en lâchant :

– Tu as quelque chose à dire, l'avorton ?

La réponse est oui, mais tu finis toujours par répondre non. Comme tu ne veux pas d'embrouilles avec lui, tu préfères te taire.

---

3. Il porte bien son nom !
4. À se demander pourquoi ! Tu es tellement sympa.

Mais pas aujourd'hui, car tu as atteint la limite de ce que tu peux endurer.

À la récréation, tu joues au soccer. Tu es loin d'être le meilleur joueur, alors quand tu as l'occasion de toucher le ballon, tu le bottes de toutes tes forces dans l'espoir de marquer un but. C'est ce qui se produit : tu bottes le ballon très fort... et très loin du but... et dans la face d'un élève... et pas celle de n'importe qui... celle de Carl Lebœuf !

Oups !

Comme il est en train de boire du jus, il en renverse partout sur son chandail. La scène est plutôt comique, mais tu ne ris pas. Tu crains le pire (avec raison, si tu veux mon avis !).

Carl fonce vers le terrain de soccer, fâché noir. Il cherche le ou la coupable. Tous les doigts pointent dans ta direction.

– Je n'ai pas fait exprès! dis-tu pour te défendre.

– Moi non plus, je ne ferai pas fait exprès de t'envoyer ÇA dans la figure, répond-il en brandissant le poing.

(Je vous en prie, les garçons! Pas d'animosité dans mon livre! C'est strictement interdit[5].)

Tu te sens petit – très petit – dans tes souliers (qui ne sont déjà pas très grands). Tes camarades t'observent, curieux de voir ta réaction.

---

5. Comme je l'ai mentionné dans l'«Avertissement» au début du livre, je suis un narrateur pacifique qui exècre et condamne toute forme de violence.

Qu'as-tu envie de répondre à ce casse-pieds de Carl Lebœuf?

A) Le mieux, c'est de lui présenter des excuses. Si tu crois que c'est une bonne idée, va au **2**.

B) Non, tu ne t'excuses pas. Au contraire, après tout ce qu'il t'a fait subir, il a bien mérité de recevoir ton ballon dans sa face. (Holà! Tu y vas fort[6]!) Si tu préfères répliquer (mais je t'avertis, ça risque de barder[7]), va au **3**.

---

6. Ce n'est pas dans tes habitudes de parler aux autres sur ce ton. Je te rappelle que ta principale qualité est la gentillesse.
7. Ce qui est prévisible, car il y a quand même le mot «bataille» dans le titre du présent épisode.

2

Au moment où tu veux t'excuser, l'orgueil t'en empêche. Pire, tu provoques Carl Lebœuf. (C'est sans doute le fait d'être entouré de tes compagnons qui te donne du cran.)

– Pfft! Si tu penses que j'ai peur de toi[8], tu te trompes complètement!

Il t'adresse un sourire fendant et métallique (à cause de ses broches).

– Ce n'est pas parce que tu pèses une tonne que ça te donne le droit de m'écraser! ajoutes-tu.

---

8. Premier mensonge : tu as très peur de lui.

(C'est bien que tu te révoltes, Boris, mais vas-y mollo[9].)

Tes camarades sont sidérés par ta répartie (et avouons-le, toi aussi). Ils n'en reviennent pas que tu aies le culot de tenir tête à Carl Lebœuf, la terreur de l'école.

– Tu veux jouer au dur? rétorque Lebœuf. Ceux qui me connaissent savent que je suis comme Obélix: si on me dit que je suis gros, j'ai tendance à me vexer. Et comme Obélix, quand je me vexe, mes ennemis revolent.

À ta grande surprise, tu t'entends répliquer:

– Contrairement à Obélix, c'est dans une marmite de stupidité et non de

---

9. Si tu tiens à ta peau…

potion magique que tu es tombé quand tu étais petit.

(Dis donc, tu es drôlement en forme, ce matin, toi ! C'est bien la première fois que tu te permets d'être méchant avec quelqu'un[10].)

Les joueurs de soccer rigolent. Pas Carl.

– Tu veux te battre, l'avorton ? te lance-t-il.

– Tu es tellement gros et lent que tu ne réussirais même pas à me toucher[11] !

Ta réplique le fait éclater de rire.

– Rendez-vous au parc des Colombes après l'école. Je vais te faire ravaler

---

10. Faudrait pas en faire une habitude, hein ?
11. Deuxième mensonge : il est probablement plus rapide que toi.

tes paroles, déclare-t-il en brandissant de nouveau le poing.

À la vue de l'attroupement, monsieur Stanley se pointe avec un air soupçonneux.

– Ça va, vous deux? s'informe-t-il.

– Trrrrès bien! réponds-tu.

– Merrrrveilleux! ajoute Carl.

Puis, après le départ du surveillant, celui-ci murmure entre ses dents:

– Tu n'as pas intérêt à te dégonfler!

– T'inquiète. J'attendais ce moment depuis longtemps, lui lances-tu en te donnant un air méchant.

– Ouuh, je tremble, rétorque Lebœuf avant de tourner les talons.

Boris, je n'en reviens pas! Tu as tenu tête à Carl Lebœuf (c'est bien!), mais si tu te bagarres avec lui, tu te feras probablement massacrer (c'est moins bien).

À présent, rends-toi au **6** pour découvrir les répercussions de ce premier face-à-face.

3

Au moment où tu veux te vider le cœur, la peur t'en empêche.

– C'était un accident, finis-tu par avouer.

Avec un grand sourire, Carl éclabousse ton chandail avec le peu de jus qui reste dans sa bouteille.

– Oh! désolé. Un accident est si vite arrivé, rétorque-t-il à son tour.

Carl Lebœuf s'en est souvent pris à toi, et tu t'es laissé faire, mais ce jus sur tes vêtements, ce sont les gouttes qui font déborder le vase.

– Tu sais que les mammouths ont disparu depuis longtemps ? À se demander pourquoi tu es encore là !

– Woooo ! s'exclament tes coéquipiers, impressionnés par ta répartie.

Carl a réveillé le monstre qui dormait en toi (et dont tu ignorais l'existence). Tu as soudainement l'impression de te transformer en Hulk.

– Et toi, tu es au courant que le mammouth que je suis peut te flanquer une raclée ?

D'un même geste, tes camarades tournent la tête vers toi pour entendre ta réponse.

– Tu sauras que David triomphe de Goliath à la fin.

De toute évidence, il ne sait pas de qui tu parles.

– Tu veux qu'on règle ça après l'école, l'avorton ? propose Carl avec un air défiant.

– Rien ne me ferait plus plaisir, mens-tu.

– Au parc des Colombes, à deux coins de rue d'ici. Et tu n'as pas intérêt à raconter ça à un prof.

– Je serai là, compte sur moi ! lui lances-tu en essayant d'avoir l'air sûr de toi.

Aussitôt qu'il s'éloigne, tes jambes ramollissent, au point où tu as du mal à te tenir debout. (Note : si tu n'es pas capable de te tenir debout, tu ne feras jamais le poids contre Carl Lebœuf !)

Tu as accepté son invitation pour ne pas perdre la face devant tes amis. Mais la face, tu risques de la perdre pour de vrai si tu te présentes au parc. Tu ne veux te battre contre personne, et encore moins contre cette armoire à glace !

Tu pries très fort pour que l'incident sombre dans l'oubli.

Va au **4** pour voir si tes prières seront exaucées.

4

La rumeur se répand à une vitesse fulgurante.

À l'heure du midi, presque tous les élèves savent que Carl et toi allez vous affronter au parc des Colombes après l'école. Et personne n'en parle aux profs, de peur que le combat n'ait pas lieu.

Boris, je ne sais pas comment tu comptes te débrouiller, mais il ne fait AUCUN DOUTE que Carl aura le dessus sur toi[12].

_____

12. Une manière polie de dire qu'il va te « casser la gueule ».

Tu ne t'imagines pas revenir à la maison avec un œil au beurre noir et deux dents en moins. Si tu tiens à garder ton joli visage intact, ce combat déloyal ne DOIT PAS avoir lieu. (Je dis déloyal, car ton adversaire doit bien faire le double de ton poids.)

Tu dois trouver une solution pour éviter de te battre.

Laquelle ?

A) Tu piles sur ton orgueil et tu annules ce combat que tu es assuré de perdre. (Je t'en prie, Boris, choisis cette option[13] !) Pour cette solution pleine de bon sens, va au **5** (et je t'en féliciterai).

---

13. Tu le sais, je ne veux pas de bagarre dans la série *Les héros de ma classe* !

B) Comme n'importe qui, tu as ton orgueil, alors il est hors de question que tu te défiles comme une poule mouillée. Et puis, de toute façon, il est trop tard pour faire marche arrière[14]. Dans ce cas, va au **6** (et bonne chance).

---

14. Il n'est jamais trop tard pour faire marche arrière, Boris ! Demain matin, quand tu te réveilleras avec des bosses et des bleus dans le visage, tu regretteras amèrement cette décision.

5

Ta parole a dépassé ta pensée. En vérité, tu ne veux pas te battre contre l'élève le plus imposant de sixième année. C'est une école, pas un ring de boxe!

Maintenant, comment comptes-tu annuler ce combat (qui ne tournera certainement pas en ta faveur)?

A) Tu vas voir Carl et, cette fois, tu lui présentes de vraies excuses, au **7**.

B) Tu en parles à madame Anne, au **8**. (Elle comprendra la situation délicate dans laquelle tu te trouves et te protégera du méchant Carl Lebœuf.)

C) Tu demandes conseil à un ami, au **9**. (Choisis un copain en qui tu as pleinement confiance!)

6

La rumeur se répand à une vitesse fulgurante.

À l'heure du midi, presque tous les élèves savent que Carl et toi allez vous affronter au parc des Colombes après l'école. Et personne n'en parle aux profs, de peur que ce combat qui s'annonce épique n'ait pas lieu[15].

Comme tu n'as qu'une parole, il est hors de question que tu te défiles (même si tu n'as jamais eu aussi peur de ta vie).

---

15. Sérieux? Aucun élève n'en informe le personnel? Parfois, le comportement des jeunes me désole. Ce n'est pas un match de lutte arrangé ou un combat chorégraphié comme on en voit dans les films, on parle ici d'une vraie bataille!

As-tu le temps d'apprendre un art martial pendant la récréation de l'après-midi? Hum, sûrement pas, mais tu ne perds rien à essayer.

Jérémie te montre comment bloquer les coups d'un adversaire. Pendant l'exercice, tu es distrait. La vérité, c'est que tu n'as AUCUNE envie de te battre. Il n'y a pas une once d'agressivité en toi.

Mais dans quel pétrin t'es-tu fourré, mon cher ami?

Tu sais qu'il est encore temps de faire marche arrière, hein?

Oui, tu le sais, mais ce serait trop déshonorant, alors tu chasses cette possibilité de ton esprit.

Boris, je t'invite à aller faire un tour, au **10**. Il ne s'y passera rien, mais je sens le besoin d'avoir une sérieuse conversation avec toi.

7

En après-midi, pendant le cours de français, tu prépares le discours que tu serviras à Carl Lebœuf, lequel devrait ressembler à quelque chose comme : « Salut, Carl. Ça va ? À propos de notre combat, ce serait chouette si on ne le faisait pas. Il est évident que tu es plus fort – beaucoup beaucoup beaucoup[16] plus fort – que moi. J'ai été impulsif tout à l'heure et je m'en excuse. »

Bien sûr, il va te traiter de dégonflé, mais c'est mieux qu'un poing dans la figure, n'est-ce pas ?

---

16. Tu hésites sur le nombre de « beaucoup ». Ne dépasse pas 20, d'accord ? Ce serait un peu beaucoup beaucoup beaucoup exagéré.

À la récréation, tu rassembles tout ton courage et tu te diriges vers lui lorsque la belle Maëlle se plante devant toi.

– Boris, c'est vrai, cette histoire de bagarre avec Lebœuf? s'informe-t-elle, l'air étonné.

Tu crois déceler une étincelle d'admiration dans ses yeux. Son regard te fait presque sentir comme un héros (ce qui n'est pas désagréable du tout).

Il ne t'en faut pas plus pour que tu répondes:

– Vrai de vrai! Je suis tanné qu'il fasse la loi comme si la cour d'école lui appartenait.

(Youhou, Boris! Tu es censé aller t'excuser auprès de Carl, pas faire le fanfaron devant Maëlle!)

– Tu es brave! lâche-t-elle, impression-
née. Il est deux fois plus gros que toi.

– La grosseur ne compte pas. Je pra-
tique le judo[17].

Ah! l'orgueil! Ce satané orgueil qui te
fait dire des choses que tu regrettes
aussitôt qu'elles franchissent ta
bouche.

– Tu m'épates, Boris.

Quels mots doux à tes oreilles!

Maëlle repart en promettant d'être
présente au parc, après les cours.

Tu es content... pendant à peu près
deux secondes et quart.

_____
17. Rectification: tu as visionné des clips de judo. Pas pareil!

Après, la frousse t'envahit, car tu ne peux plus faire marche arrière.

Ce fameux combat aura bel et bien lieu. Rends-toi au parc des Colombes, au **29**.

8

Tu attends la fin du cours pour t'entretenir avec madame Anne.

Au son de la cloche, tu avances vers elle, timidement.

– Je peux vous parler un instant?

– Bien sûr! répond-elle en rangeant son bureau.

Ne sachant pas comment aborder le sujet, tu tournes un peu pas mal beaucoup autour du pot.

– Pierrot Picard! s'écrie-t-elle soudainement tandis que les derniers élèves quittent le local. Qu'est-ce que tu fabriques avec une cigarette à la bouche ?

– Ce n'est pas une vraie, elle est en papier ! explique Pierrot.

À côté de lui, Mathieu est plié en deux.

– Même les fausses cigarettes sont interdites dans cette école, alors tu vas me faire le plaisir de la jeter tout de suite ! sévit la prof avant de se tourner vers toi, tout ouïe.

Au moment où tu ouvres la bouche, la prof de musique apparaît sur le pas de la porte.

– Hé ! Anne ! As-tu eu l'occasion d'écouter la série sur les grands compositeurs dont je t'ai parlé ?

– Non, je n'ai pas encore eu le temps…

À ces mots, madame Anne se rend compte qu'elle doit faire de la surveillance dans la cour.

– Tu me raconteras dehors, d'accord? te dit-elle, pressée de sortir.

Mais dans la cour, c'est moins intime. Carl Lebœuf ne te quitte pas des yeux. Si tu parles à ta prof, il se vengera, c'est sûr.

– Bon! Maintenant, je suis tout à toi! Que veux-tu me dire, Boris?

– Euh… je voulais juste savoir quand avait lieu la présentation orale sur notre animal favori.

Voilà, tu n'as pas eu le courage de tout lui raconter. Pas devant Carl et ses compagnons qui te tiennent à l'œil.

Ce combat, tu le feras. Pour le meilleur ou pour le pire[18].

Tu pries pour que les cours ne se terminent jamais, mais la dernière cloche finit tout de même par sonner.

Tu prépares ton sac et, au lieu de retourner directement à la maison, tu te rends au parc d'un pas vacillant, au **29**. Le combat n'est même pas encore commencé que tu te sens déjà étourdi. Ça promet!

---

18. Je ne veux pas te décevoir, Boris, mais ce sera pour le pire.

9

À la récréation de l'après-midi, tu observes les élèves qui s'agitent dans la cour en essayant de trouver celui ou celle qui pourrait t'aider à te sortir du pétrin.

Grégory? Nah...

Mathieu? Ha! ha! Non.

Lili? Peut-être...

Fabien? Bof...

Xavier? Jamais de la vie!

N'importe qui, sauf lui. Il se moque de toi régulièrement…

Pourtant, même si tu ne l'aimes pas beaucoup, Xavier est le genre de gars qui saurait quoi faire dans une situation comme la tienne. Ça prend peut-être un intimidateur pour déjouer un autre intimidateur…

Tu changes d'idée. À bien y penser, Xavier est le seul élève que tu connais qui a assez de cran pour se mesurer à Carl Lebœuf.

Va lui parler, au **20**.

10

Boris, tu es conscient qu'une bagarre peut mener à ton expulsion de l'école, n'est-ce pas?

Et que diront tes parents? Tu crois qu'ils seront fiers de toi?

Et les autres élèves te trouveront-ils brave de te jeter dans la gueule du loup comme tu t'apprêtes à le faire? Ben non, ils vont te trouver idiot!

Je sais ce que tu penses: cette affaire est allée trop loin et tu n'as plus d'autre choix que d'affronter la tempête. Eh bien, non! Tu as plein d'options devant toi, Boris.

Promets-moi de prendre les bonnes décisions à partir de maintenant, OK[19] ? Et surtout, ne laisse pas ton orgueil se mettre en travers de ton chemin !

Bon, tu peux aller au **11**, à présent. (Merci pour ton écoute. J'ai confiance en toi, Boris.)

---

19. Je t'en prie, ne me fais pas regretter de t'avoir choisi comme un des *Héros de ma classe* !

11

Plus la journée avance, plus tu es nerveux.

Le seul coup de poing que tu as reçu de ta vie, c'était en réalité un coup de patte donné par ton chat qui avait envie de jouer. (La claque t'avait quand même ébranlé!)

L'idéal, ce serait que tu aies une bonne raison de ne pas être au parc après l'école. Une raison qui ne te ferait pas passer pour un dégonflé.

Active tes méninges, mon cher Boris, et dis-moi comment tu te débrouilleras pour manquer ton rendez-vous avec l'immense Carl Lebœuf.

A) Tu t'organises pour avoir une retenue. Pour te transformer en voyou[20], va au **12**.

B) Tu vomis en classe. (Ouache!) Pour simuler un mal de cœur, va au **13**.

C) Tu déboules l'escalier dans l'espoir de te casser une jambe ou un bras, ou mieux, les deux. (C'est ton cerveau qui est cassé, pour penser des sottises pareilles!) Pour te transformer en cascadeur, va au **14**.

---

20. Cela ne te ressemble pas, Boris!

D) Tu dis à tout le monde que tu crois avoir un cancer du nombril et qu'il faut que tu ailles d'urgence à l'hôpital. (Bah, au fond, mieux vaut y aller avant la bagarre pour rien qu'après pour une fracture ou des points de suture.) Si tu n'as pas peur du ridicule, va au **15**, mon cher.

12

Ça va en empirant, Boris!

Mais puisque c'est ta décision, je m'efforcerai de la respecter (narrateur compréhensif que je suis[21]).

Or, selon toi, quel est le meilleur moyen d'être retenu après la classe?

A) Tu déposes une punaise sur la chaise de madame Anne. (Tu ferais cela, Boris?! À ton enseignante que tu adores?) Pour torturer injustement ta prof, va au **16**.

---

21. Parfois.

B) Tu déclenches une bagarre contre Xavier, qui est assis à côté de toi. (Euh... tu cherches à te battre pour éviter de te battre ? Je comprends que tu aies peur de perdre la face, mais là, c'est la tête que tu perds, mon cher !) Pour provoquer Xavier, va au **17**.

C) Tu danses le « floss » sur ton bureau... en bobettes. (Satan, sors de ce corps !) Pour faire un fou de toi, va au **18**.

13

Première question : es-tu capable de vomir sur commande ?

Si oui, ne le fais surtout pas ! Pas dans mon livre[22] !

Il n'est pas nécessaire que tu ailles jusque-là. Un mal de ventre classique ferait l'affaire, non ?

Tu vas voir l'enseignante, la main sur le bedon, l'air de filer un mauvais coton.

– Madame Anne ?

---

22. Je te préviens, si tu fais ça, j'arrête de raconter ton histoire. Il y a des limites à ne pas dépasser !

– Oui, Boris? Dis donc, tu n'as pas l'air dans ton assiette...

– Ne me parlez pas d'assiette, s'il vous plaît. Je crois que j'ai la gastro[23], déclares-tu, comme si tu étais très mal en point.

Elle te fixe d'un regard scrutateur, comme si elle flairait un possible mensonge.

– Il vaut mieux que je retourne chez moi. Je ne voudrais pas contaminer les autres élèves...

Devant son silence, tu te figes. Puis, tu cherches quelque chose à ajouter.

---

23. Pour les enseignants, il n'y a pas de mot plus terrifiant que celui-là.

– ... qui, eux, vont contaminer leurs parents, qui vont ensuite contaminer leurs collègues de travail...

(Tu devrais arrêter de parler, Boris. Tu en fais trop !)

– ... jusqu'à ce que le pays entier ait la gastro. Les touristes qui retourneront chez eux propageront le virus à leur tour. Ce sera peut-être l'extinction de la race humaine. Tout ça parce que je suis resté en classe !

Évidemment, la prof ne te prend pas au sérieux.

– Si jamais ton état se dégrade, reviens me voir, d'accord ? D'ici là, je suis sûre que tout va bien aller, conclut-elle avec le sourire.

(Pour être crédible, il aurait fallu que tu vomisses pour de vrai. Mais bon, ton dîner, tu l'as apprécié, tu n'as pas envie de le restituer.)

La dernière cloche de la journée finit par sonner, à ton grand désespoir.

Tes amis t'espionnent du coin de l'œil pour voir dans quel état tu es à l'approche du combat. Tu essaies d'arborer un air confiant, mais en réalité tu ressembles à un enfant terrorisé.

Tu sors du local, la mort dans l'âme. Ensuite, tes pas te conduisent au **29**, c'est-à-dire au parc des Colombes.

14

Je refuse.

Débouler un escalier résout rarement les problèmes. Si tu le fais, les chances de te blesser sont beaucoup plus élevées qu'au cours d'une bagarre avec Carl Lebœuf.

Allez, Boris, je suis sûr que tu peux trouver une meilleure façon de te dérober.

Retourne au **11** et réfléchis-y à deux fois, mon cher!

15

Tant qu'à être original, tu aurais également pu dire un cancer de la narine ou du sourcil, ou encore une tumeur de l'ongle du petit orteil, ou une fracture du lobe d'oreille...

Ce n'est pas avec un prétexte aussi farfelu que tu embarqueras dans une ambulance, Boris !

Alors, tu ne fais rien, à part regarder le temps filer, ce qui te rapproche toujours un peu plus du moment fatidique.

Et puis, la sonnerie finit par retentir. Tu as l'impression que c'est la cloche qui annonce le début du combat.

Tu décides de ne pas te rendre au parc. C'est chez toi que tu as envie d'aller.

Pour ne pas avoir à te justifier à qui que ce soit, tu t'enfermes dans une cabine de toilettes, au **25**, en attendant que les corridors se vident.

16

Rassure-moi, Boris, tu ne feras pas cela, n'est-ce pas?

Eh oui, tu le fais (à mon grand désarroi).

Tandis que ton enseignante se promène entre les rangées, tu te lèves pour aller aiguiser ton crayon et, en chemin, tu en profites pour déposer une punaise (la tige de métal vers le haut) sur sa chaise.

Tara lève aussitôt sa main:

– Madame Anne, Boris a mis quelque chose sur votre chaise! te dénonce-t-elle.

Pris à ton propre piège, tu déglutis, puis tu t'empresses de récupérer l'arme du crime avant que madame Anne découvre le mauvais coup que tu t'apprêtais à lui jouer.

– C'était quoi, Boris? s'enquiert-elle.

– Euuuuuh… Y avait une mouche. J'ai essayé de la taper, réponds-tu avec un air innocent.

Fiou! À mon grand soulagement (moi aussi, je l'aime bien, madame Anne), ta mission a échoué.

Ne refais jamais cela, Boris. Ta si gentille enseignante n'a pas besoin d'avoir mal à une fesse parce que tu veux éviter une bagarre que, je te le rappelle, tu as toi-même eu la bêtise d'amorcer.

Cette idée d'attraper une retenue est horrible, Boris.

A) À bien y penser, il est préférable que tu t'excuses auprès de Carl. Aborde-le, au **7**.

B) C'est plutôt lui qui devrait te présenter des excuses. Tu vas te rendre au parc et l'obliger à te demander pardon devant tout le monde. (Je ne sais pas comment tu comptes y arriver, mais ça me semble être un bon plan.) À la fin des cours, prends le chemin du parc des Colombes, au **29**.

17

Une autre bagarre, Boris? Mais qu'est-ce qui te prend aujourd'hui? Tu tiens vraiment à t'attirer des ennuis?

Au lieu de te battre contre Xavier, tu pourrais lui demander son aide. Xavier est un élève plein de ressources, habile pour tourner en dérision n'importe quelle situation.

Il me semble que c'est le genre de gars qui pourrait t'aider. Qu'en dis-tu?

A) Rien, car tu pensais à autre chose en lisant cette page et tu n'as aucune idée de ce que je t'ai raconté. (Hé! ho! Je le prends pour une insulte. Boris, je comprends que cette bataille te stresse, mais je t'en prie, reste concentré !) Puisque tu ne sais plus où tu es rendu, rafraîchis-toi les idées, au **19**.

B) Tu trouves que c'est une bonne idée. Va lui parler, au **20**.

18

Je vais être franc avec toi, Boris.

D'abord, tu n'as absolument rien d'un exhibitionniste.

Tu as déjà dansé le «floss» en petite tenue devant le miroir de ta chambre, mais jamais en classe devant tous les élèves!

Si tu agis de la sorte, je ne suis pas sûr que tu écoperas d'une retenue, mais il est bien possible par contre que ton aventure se termine sur le divan d'un psy. C'est de cela que tu as envie?

Sans parler de ta prestation qui restera gravée dans les mémoires. Tu ne
seras plus le gentil petit Boris, mais
Boris le «petit flosseur en caleçon».

À bien y penser, tu préfères encore te
battre contre Carl.

C'est au **29** que le combat a lieu.

19

Ouvre grand les yeux et tâche de rester concentré, cette fois. Tu t'appelles Boris, tu es le plus petit de la classe, mais tu as tenu tête à Carl Lebœuf qui te mène la vie dure à l'école et maintenant, vous allez régler vos comptes au parc des Colombes. Ça te dit quelque chose ? Tu retrouves la mémoire ?

A) Zut ! Tu étais encore distrait en lisant cette page. Dans ce cas, va au **21** (et attends-toi à une mauvaise nouvelle).

B) Bien sûr que tu t'en souviens. C'est la peur de te battre contre cette brute qui te rend nerveux et confus. (Ne t'en fais pas, Boris, ça va aller[24].) À bien y penser, tu n'as pas l'intention d'honorer ton rendez-vous. Après les cours, au lieu de te diriger vers le parc, tu te caches donc dans les toilettes. Quand les élèves seront partis, tu retourneras chez toi en catimini, sain et sauf. Sors de ta cachette, au **25**.

---

24. Je dis ça juste pour te rassurer. (Je ne le pense pas. Elles sont rares, les bagarres qui se terminent dans la joie !)

20

Même s'il va probablement rire de toi[25], tu abordes le comique de la classe.

– Je peux te parler, Xavier?

– Profites-en tandis que tu es encore en vie[26].

– Justement, c'est à ce sujet que je veux te parler, lui expliques-tu. Je ne sais pas ce qui m'a pris, ce matin, de provoquer Carl, mais là, je commence à le regretter. J'ai peur qu'il m'arrache la tête.

---

25. Il vaut mieux écoper d'un rire que d'un coup de poing dans le front, non?
26. Ça commence bien!

– Ça se peut, en effet, répond Xavier sur un ton nonchalant.

– Je préférerais la garder sur mes épaules, si c'est possible.

– Ça se comprend, ajoute-t-il en se curant l'ongle du pouce avec les dents.

– Je ne veux pas me battre. Tu as une solution pour moi ?

– Oui. N'y va pas. Mais ce serait dommage, car on est nombreux à vouloir assister à ce combat. Vous avez créé des attentes !

– J'aime mieux que mon visage ne se fasse pas démolir pour votre bon plaisir.

– Tu l'as un peu cherchée, cette bagarre, non? Fallait réfléchir avant de parler.

– Tu réfléchis avant de parler, toi?

– Jamais. Réfléchir me donne mal à la tête.

Même s'il plaisante sans arrêt, Xavier voit bien que tu es en détresse.

Il pose une main sur ton épaule et dit:

– Mange un coup ou deux, couche-toi, puis reste à terre. Et ce sera la fin. Personne ne s'attend à te voir triompher, tu sais. Tu seras un héros aux yeux de tout le monde juste si tu te présentes au parc.

Les paroles de Xavier te rassurent (même si tu n'es pas trop excité à l'idée de «manger un coup ou deux»).

– Et si ça dégénère, j'interviendrai, lâche Xavier avec assurance.

– Promis?

Il sourit. Tu supposes que c'est sa manière de dire oui (mais tu n'en es pas tout à fait certain).

Le reste de la journée passe très vite. Tu sors de l'école, en route vers le **22**, où tu montreras à tous et à toutes quel grand bagarreur tu n'es pas.

21

Je crois que la meilleure chose à faire, c'est de recommencer au début, mon cher. On va dire que c'était une lecture pour t'échauffer. Le vrai combat aura lieu à ton prochain essai. Bonne chance, *amigo* !

(Je ne comprends pas ce qui t'arrive aujourd'hui, Boris. D'habitude, tu es un bon lecteur.)

Retourne au **1**. (Et n'oublie pas : Carl Lebœuf est plus fort que toi, mais tu es plus intelligent que lui !)

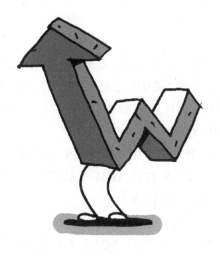

22

En attrapant ta veste dans ton casier, tu décides de ne pas y aller, tout simplement. Tu as trop peur[27]. Les chances de te faire «démolir le portrait» sont beaucoup moins élevées si tu n'affrontes pas ton adversaire. Logique, n'est-ce pas?

Mais tes amis – qui sont tous très excités – viennent te voir à tour de rôle pour t'encourager. Ils veulent t'accompagner jusqu'au parc.

Leur confies-tu que tu préférerais y aller seul, question de te concentrer pour la grande épreuve qui t'attend?

---

27. Et il n'y a pas de honte à cela. C'est un signe d'intelligence.

A) Oui, parce que tu pourras ainsi filer en douce. Parle à tes amis, au **23**.

B) Non, puisque tu passeras pour un « pissou » (ce que tu es, mais tu ne veux pas que les autres le sachent). Dans ce cas, rends-toi au parc avec tes amis, au **24**.

23

Tu agites les mains pour attirer l'attention de tes copains.

– Ça vous dérangerait de me laisser seul? J'ai besoin de me concentrer...

– Tu veux faire une sieste avant le combat pour être en super forme? plaisante Fabien.

– Moi, je pense que tu vas en profiter pour te sauver, confie Quentin. En tout cas, si j'étais à ta place, je prendrais mes jambes à mon cou.

– Je n'ai pas l'intention de me défiler[28], leur assures-tu.

(Ah! sacré orgueil! Attention, Boris, un de ces jours – et peut-être même aujourd'hui –, ce défaut causera ta perte.)

Tes copains sont finalement d'accord pour te laisser seul. Tandis qu'ils s'éloignent en rigolant, tu te réfugies dans les toilettes, au **25**, en attendant que l'école se vide. La dernière chose dont tu as envie, c'est de croiser un élève qui te rappellera ton rendez-vous avec Lebœuf!

---

28. Énième mensonge du jour: oui, tu as l'intention de te défiler.

24

Tu fais semblant de t'amuser avec tes copains, comme si c'était une fin de journée ordinaire.

En allant au parc, tu demandes :

— Vous croyez que j'ai des chances de le battre ?

Le silence qui s'ensuit résonne comme un gigantesque non dans ta tête.

— Je pense que même mon père n'y arriverait pas, finit par dire Grégory.

— Dwayne «The Rock» Johnson peut-être. Et encore ! ajoute Quentin.

– Votre rôle, c'est de m'encourager! Pas de m'expliquer que je vais finir la journée à l'hôpital! rétorques-tu, déconcerté.

– Tu as raison, Boris! admet Jérémie. À mon avis, c'est LUI qui n'a aucune chance contre TOI.

Un autre silence plane, suivi d'un grand éclat de rire (ce qui te décourage un peu).

Puisque ce sont tes amis, leur avoues-tu que tu as peur? Leur demandes-tu de te venir en aide si jamais les choses tournent mal?

A) Bien sûr. Ce sont tes amis, après tout. Confie-toi, au **28**.

B) Pas la peine. Au point où tu en es, tu ne peux compter que sur toi-même. Dans ce cas, tu es attendu au **29**, mon cher Boris.

25

Sept minutes et demie plus tard, tu sors de la salle de bains et tu tombes face à face avec le concierge.

– Ça va, Boris ? Tu as l'air nerveux.

Pour toute réponse, tu lui tousses au visage.

– Tu sais que j'ai des oreilles, hein ? poursuit monsieur Labelle avec un drôle de sourire.

– Euh, oui. Je les vois. Vous en avez deux.

– Je sais pourquoi tu te caches dans les toilettes, avoue-t-il d'un air complice. Ce que tu vis est stressant, je te comprends.

Là-dessus, il n'a pas tort.

– Il y a des moments dans la vie qui sont plus importants que d'autres...

Pas le genre du concierge, de jouer au philosophe.

– ... et celui-là en est un. Tu ne dois pas le manquer. Tu es attendu, Boris. Si j'étais toi, je foncerais !

Drôle de conseil de la part d'un adulte responsable !

– Vraiment ? dis-tu, déconcerté.

– C'est le temps de devenir un homme, Boris. Moi, à ton âge, je ne recevais pas beaucoup d'invitations comme ça.

– Et si je suis expulsé de l'école ?

Monsieur Labelle rigole :

– On ne renvoie pas un élève parce qu'il a donné un baiser à une fille.

HEIN ? !

Ton cerveau fait trois tours dans ta boîte crânienne.

– Une fille ? ! Quelle fille ?

– J'entends ce qui se dit dans la cour d'école, Boris. Je ne suis pas sourd. Du moins, pas encore.

Sur cette note, il te quitte, te laissant complètement abasourdi.

Une fille aurait un œil sur toi? Qui? Maëlle?

Tout à coup, tu ne penses plus à Carl Lebœuf. Tu sors de l'école en marchant lentement, comme un somnambule.

A) Retournes-tu chez toi comme tu avais l'intention de le faire avant de croiser le concierge? Si oui, va au **26**.

B) Tes pas te guident naturellement vers le parc, au **27**. Si Maëlle a un œil sur toi et qu'elle s'est déplacée pour te voir te battre, tu ne veux pas la décevoir!

26

Tu empruntes le chemin de la maison, sans trop accorder de pensées à Carl Lebœuf (comme s'il n'avait plus d'importance[29]).

Tu es surpris par les propos du concierge. Qui est cette fille énigmatique qui aurait avoué dans la cour d'école que tu lui plaisais ? Voilà un mystère exquis qui te fait complètement oublier ton combat.

Mais le lendemain, on se charge de te le rappeler. Les 40 élèves qui se sont déplacés pour assister à l'événement

---

29. Et tu fais bien ! Entre la guerre et l'amour, il faut toujours choisir l'amour.

ne sont pas contents. Carl le premier. Il était si furieux que tu ne te présentes pas qu'il a essayé de s'en prendre à Quentin, mais ce dernier s'est sauvé en courant. Fiou!

Tes amis s'empressent de t'avertir: Lebœuf t'en veut à mort.

Eh bien, Boris, ça m'a tout l'air que tu es dans de beaux draps. Et je te conseille fortement d'aller parler à ton enseignante, à la directrice ou à tes parents... avant que Carl te mette la main dessus!

Tu n'as peut-être pas reçu de coups, mais tes problèmes ne sont pas réglés pour autant, mon cher. Carl Lebœuf a besoin d'être remis à sa place, et ce n'est certainement pas à toi de le faire. Laisse les adultes s'en occuper, d'accord?

Pour réussir cet épisode, toutefois, tu dois absolument prendre part à la bagarre, ce que tu n'as pas fait.

Je te suggère donc de recommencer tout de suite ta lecture, au **1**.

Bonne chance, camarade!

27

Tu arrives au parc, l'esprit quelque peu rêveur.

Carl est content de te voir. Et toi, tu es encore plus content de voir Maëlle parmi les spectateurs.

– J'espère que tu as faim, l'avorton... parce que tu t'apprêtes à manger toute une volée, te lance ton adversaire.

Mais tu ne fais pas attention à lui. Tu entends à peine ce qu'il dit, trop occupé que tu es à sourire à la belle Maëlle (que tu trouves particulière-ment ravissante aujourd'hui, par ailleurs). Comble du bonheur, elle te retourne tes sourires !

Puis, son visage prend tout à coup un air horrifié. Tu te demandes pourquoi. Et tu comprends lorsque tu reçois un coup sur le nez. Paf !

Tu n'as rien vu venir. À vrai dire, tu ne savais même pas que la bagarre était commencée.

Le combat dure une grosse seconde, le temps d'un coup de poing.

Tu tombes sur le dos. Boum ! K.-O.

Mais toi, quand tu y repenses, tu as plutôt l'impression que tu es tombé... amoureux !

Eh oui, Boris, c'est déjà la fin.

Quand on se bat, il faut rester concentré. C'est bien beau, l'amour, mais ce n'est pas le temps de faire des beaux yeux à une demoiselle de ta classe quand la terreur de l'école veut t'arranger le portrait!

Heureusement, dans *Les héros de ma classe*, tu as la chance de recommencer autant de fois que tu le désires, et ce, jusqu'à ce que tu parviennes à régler tes comptes avec ce tyran de Carl Lebœuf.

Retourne au **1**, mon beau Boris. Je suis sûr que ton prochain essai sera mieux! Ne te décourage pas!

28

Tu arrêtes de marcher pour confier à tes amis :

– J'ai peur que Carl me démolisse...

Grégory, Quentin et Jérémie baissent la tête, songeurs.

– Si jamais il est trop déchaîné, je peux compter sur vous pour l'arrêter ?

Quentin fixe ses chaussures, Grégory regarde au loin et Jérémie observe un oiseau dans le ciel.

– Les gars, je vous parle !

Ils finissent par approuver, mais un peu trop mollement à ton goût.

Quant à toi, tu n'as ni le courage de te battre ni le courage de ne pas te battre[30]. Tu te sens dans une impasse.

Vous reprenez la marche.

Le parc est tout près, au **30**. (Bonne chance, Boris[31]!)

---

30. Ça ne va pas bien, ton affaire! Tu te trouves entre l'arbre et l'écorce, si tu me permets l'expression.
31. Je vais prier pour toi. Et je vais demander à ma mère de se joindre à mes prières (c'est une pro).

29

Même en allant au parc à reculons, tu finis – à ton grand désespoir – par arriver à destination.

La brute qui te martyrise depuis trop longtemps est bel et bien là, entourée de ses copains.

– Je commençais à croire que tu ne viendrais pas, avoue Carl.

– Je n'aurais manqué ce rendez-vous galant pour rien au monde, réponds-tu avec un humour que semblent apprécier les spectateurs.

Tiens, on dirait que ton orgueil reprend le dessus sur ta peur.

Ton adversaire n'est pas à court de réparties non plus, comme tu le découvriras au **31**.

30

Une vingtaine d'élèves se sont déplacés au parc pour assister au combat. Parmi eux, tu ne trouves aucun Carl Lebœuf[32]. Tu as marché si lentement qu'il devrait être là, normalement. Or, il n'y est pas, et c'est un véritable soulagement de ne pas voir sa face de bœuf.

Victoire! Alors que tu ferais mieux de te taire[33], tu te dis que les autres élèves doivent tirer une leçon de ce qui t'est arrivé.

---

32. Cette phrase laisse entendre qu'il pourrait y en avoir plusieurs. Quelle idée cauchemardesque!
33. Attention, Boris! Une fois de plus, tes mots vont dépasser ta pensée. Ta joie te fait dire des bêtises!

– Vous voyez, Carl Lebœuf a eu la frousse. Il a beau être costaud, il se méfie des plus petits, car ils sont plus intelligents, plus rusés et certainement plus dangereux. Prenez Joe Dalton, par exemple…

Tu ravales aussitôt tes paroles en apercevant Carl et sa bande au coin de la rue.

Oups! Tu as parlé trop vite.

La première chose que ton adversaire dit en arrivant au parc, c'est:

– J'ai parié que tu n'allais pas être là. Tu viens de me faire perdre de l'argent. J'ai donc une raison de plus d'être fâché contre toi.

Ça commence en force!

Il retire son manteau, puis tape son poing dans sa main, produisant un claquement retentissant. Imaginer ta joue à la place de sa main ne te réjouit pas particulièrement.

Si tu souhaites te sauver, c'est maintenant (et sans vouloir influencer tes décisions, je crois que ce ne serait pas une mauvaise idée).

Ton cerveau s'active à plein régime.

Que fais-tu ?

A) Tu inventes un prétexte et tu décampes le plus loin possible (au pôle Nord ou dans la brousse africaine). Pour te défiler, cours au **31**.

B) Tu ne bouges pas et tu affrontes le colosse qui se dresse devant toi. Pour montrer à tous que tu es aussi courageux que stupide, va au **32**.

31

Carl s'approche de toi, l'air mauvais.

– Quand j'en aurai fini avec toi, avec le peu de dents qu'il te restera dans la bouche, tu ne souriras plus[34].

Et toi, tu répliques :

– Juste à voir ta face, je n'ai plus envie de sourire.

(Tu le fais exprès ou quoi ? Arrête de jeter de l'huile sur le feu !)

---

34. Voilà des propos haineux ! Moi qui songeais à faire un *Héros de ma classe* avec Carl Lebœuf (ou plutôt, un *Héros qui manque de classe*), eh non, il est rayé de ma liste !

De toute façon, tu n'as pas l'intention de l'affronter. Tu es assez intelligent pour savoir que c'est un combat perdu d'avance.

Allez, pense vite, Boris. Quelle excuse sers-tu à ton ennemi avant de prendre tes jambes à ton cou?

A) Parlant de dents cassées, tu expliques que tu es en retard à ton rendez-vous chez le dentiste. Pour ce prétexte-ci, va au **34**.

B) Oh non! Tu as oublié de nourrir le chat ce matin! (Continue comme ça, Boris, c'est de mieux en mieux[35]!) Pour ce prétexte-là, va au **35**.

C) Inutile de donner une raison. Tout le monde sait que tu n'as pas la moindre envie de te battre. Pour ne rien dire du tout, sauve-toi au **36**.

---

35. C'est de l'ironie.

32

Le moment que tu as tant redouté est arrivé.

Tu perçois un murmure d'excitation dans l'assistance.

Carl retire son manteau pour être plus à l'aise.

Ton cœur bat à toute vitesse.

Quelqu'un va-t-il se manifester pour annuler ce combat absurde ? Non, les spectateurs gardent leurs yeux grands ouverts et leur bouche bien fermée.

Tu ne peux donc compter que sur toi-même.

Tu évalues ton adversaire. Il ne lui manque qu'une corne au milieu du front pour que tu le confondes avec un rhinocéros.

Si tu ne veux pas être K.-O. dans les prochaines minutes, tu ferais mieux de trouver une échappatoire, et vite!

Tu as besoin d'une petite minute pour réfléchir.

Boris, comment gagnes-tu un peu de temps?

A) Tu enlèves ta veste et tu la plies très leeeenteeeemeeeent, au **37**.

B) Tu fais semblant d'avoir une poussière dans l'œil, au **38**.

C) Tu effectues des exercices d'échauffement, au **39**.

33

Le poing de Carl approche de ton visage à la façon d'un TGV, c'est-à-dire à Très Grande Vitesse.

PAUSE.

J'use de mon pouvoir de narrateur pour effectuer un arrêt sur image et prendre un temps de réflexion. Ce coup de poing qui se dirige vers toi sera très douloureux, il est donc absolument primordial que tu l'évites.

Je t'accorde quelques secondes pour réfléchir à une solution, Boris.

Quelles sont tes options? Regardons-les ensemble, veux-tu?

Tu mets un masque de fer pour qu'il se fasse mal aux jointures (mais tu n'as pas de masque de fer sous la main[36]).

Tu attrapes son poing et tu fais tourner ton adversaire au-dessus de ta tête comme un lasso (mais ça, c'est possible seulement dans les films de superhéros).

Tu fais un sourire si beau, si étincelant, si charmant que ton adversaire n'aura plus envie de te frapper (mais ça, c'est rêver en couleurs[37]).

---

36. Tu ne connais personne qui en a un.
37. Crois-tu vraiment que tu peux amadouer une brute comme Carl Lebœuf au moyen d'un resplendissant sourire?

Tu communiques par la pensée avec tous les taons, abeilles, guêpes, moustiques des environs et tu leur ordonnes de piquer ton adversaire jusqu'à ce qu'il demande pardon (mais hélas, tu ne possèdes pas ce pouvoir[38]).

Conclusion : tu n'as pas d'option.

L'action reprend.

Paf !

Tu tombes au sol et tu comptes les étoiles qui tournent au-dessus de ton visage.

Carl lève les bras en signe de victoire, visiblement fier de lui.

---

38. Ni personne d'autre d'ailleurs.

Il remet son manteau avant de repartir avec sa bande. Le combat est fini.

Et toi, mon cher Boris, tu recouvres peu à peu tes esprits. Le moins que l'on puisse dire, c'est que Carl ne t'a pas manqué.

Un conseil : quand tes parents verront ton œil au beurre noir, raconte-leur la vérité, OK ? Car il est plus que temps que Carl te laisse tranquille. Et comme tu peux le constater, les bagarres n'arrangent rien !

Maintenant, va au **58** (c'est la dernière étape pour toi, Boris).

34

– Vous allez tous croire que je mens[39], mais je viens de me rappeler que j'ai rendez-vous chez le dentiste dans CINQ MINUTES!

Sur ces mots, tu t'enfuis à toute vitesse.

À la limite du parc, tu vérifies si Lebœuf est à tes trousses. Même pas!

Ouf! Tu peux te détendre, maintenant.

Mais au moment où tu mets le pied sur le trottoir, tu entends crier:

– ATTENTIOOOON!

---

39. Oui, ils croient tous que tu mens.

Tu as à peine le temps de te retourner qu'un jeune en patins à roulettes te rentre dedans. Bang! Tu tombes la tête la première contre le trottoir.

Aïe!

En essayant de te relever, tu t'aperçois avec frayeur que tu craches du sang[40].

Tes amis te rejoignent au pas de course.

– Ça va, Boris? s'inquiètent-ils en chœur.

Eh bien, non! Ça ne va pas, mon cher. Figure-toi que ce trottoir t'a cassé deux dents. Tu devras donc VRAIMENT aller chez le dentiste!

---

40. Pitié, Boris! Pas trop de détails sanguinolents. C'est un livre pour la jeunesse, que diable!

Tu as évité le combat, mais dans l'état où tu te trouves, c'est une bien mince consolation, n'est-ce pas?

Je te fais une confidence: bien que je refuse catégoriquement de laisser mes personnages se chamailler dans mes livres, la bataille est ici inévitable si tu veux réussir cet épisode. Tu devras bel et bien affronter Carl Lebœuf... et envisager une meilleure solution que de vous donner des coups sur le nez pour régler votre conflit!

Retourne au **1**, mon cher Boris, et emprunte d'autres chemins. Bonne chance, mon ami!

35

– Ah non ! Mon chat n'a plus rien à bouffer[41]. J'ai oublié de le nourrir, ce matin. Le pauvre doit être AFFAMÉ !

Sur ces mots, tu déguerpis, mais pas longtemps, puisque Carl t'attrape par le collet.

– Tu restes ICI !

Misère !

La suite se déroule très vite. Xavier annonce le début du combat et Carl s'avance vers toi, l'air déterminé. Il s'apprête à te frapper.

---

41. Tu as trois poissons rouges, mais pas de chat.

Oh là là ! Tu as vu des marteaux moins impressionnants que son poing. Tu es convaincu que Carl pourrait planter un clou avec ses seules jointures !

Réussiras-tu à esquiver le coup ? Découvre-le au **33** !

36

Sans perdre de temps en explications inutiles, tu files comme une flèche en direction de la rue.

Derrière toi, tu entends Maëlle crier :

– Cours, Boris, cours !

Arrivé au bord de la rue, tu te retournes pour voir si Lebœuf est à tes trousses...

Misère ! Il l'est ! Et il court drôlement vite pour quelqu'un qui a autant de kilos.

– Tu ne m'échapperas pas ! crie-t-il, en colère.

Tu traverses la rue, sans regarder des deux côtés... alors qu'une voiture arrive à toute allure. Le conducteur freine, les pneus crissent... pendant que toi, tu te figes au milieu de la voie. On dirait un chevreuil aveuglé par les phares d'une auto.

Tu fermes les yeux en attendant l'inévitable collision[42].

À ton énorme soulagement, l'auto s'arrête à un demi-centimètre de tes cuisses. Ouf!

Même Carl a eu peur que tu te fasses frapper. Il est tout blême.

---

42. Franchement, Boris, tu pourrais t'écarter de la voie au lieu de rester planté là comme un poteau ! (Va falloir que tu développes tes réflexes !)

Le conducteur sort de son véhicule en catastrophe. C'est monsieur Stanley, le surveillant de l'école!

– Mais qu'est-ce que tu fais là, Boris? Tu te crois à l'épreuve des voitures? Tes parents ne t'ont jamais enseigné à traverser la rue?

Le surveillant est dans tous ses états.

– Ouf! Tu m'as tellement fait peur! s'exclame-t-il.

Les battements de ton cœur reprennent un rythme plus régulier. Oh là là! Quelle frousse!

– Mais qu'est-ce que vous fabriquiez? veut savoir monsieur Stanley.

En tournant la tête vers Carl Lebœuf, tu le surprends en train d'essuyer une larme. Tu n'en crois pas tes yeux !

(Eh oui ! Comme tu l'apprendras plus tard, Carl a un cousin qui est devenu paraplégique après avoir été renversé par une auto.)

– On jouait à la tag, dis-tu.

– Eh bien, vous allez me faire le plaisir de jouer loin de la circulation automobile ! rétorque monsieur Stanley, encore sous le choc de cet accident qui n'a finalement pas eu lieu.

Avec tout ça, tu as réussi à éviter le combat, ce qui est excellent, mais tu as aussi failli perdre la vie, ce qui est vraiment moins bien, tu en conviendras.

Boris, tu dois me promettre d'être plus prudent à l'avenir, d'accord?

Le bon côté des choses, c'est que Carl t'associe maintenant à son cousin et, depuis, il se montre plutôt gentil avec toi. Tu n'irais pas jusqu'à affirmer que tu t'es fait un copain, mais presque.

Cela étant dit, tu n'as pas atteint les objectifs de ce livre, qui sont de ressortir indemne de la bagarre avec Carl Lebœuf ET de régler une fois pour toutes ton conflit avec lui.

Autrement dit, tu ne peux pas te dérober, Boris.

À présent que Carl Lebœuf te fait moins peur, recommence l'aventure, au **1**, et montre-lui de quel bois tu te chauffes.

Bonne chance, mon ami !

37

Une fois ta veste retirée, tu essaies de la plier de façon parfaitement symétrique. Comme les manches ne sont pas tout à fait égales, tu recommences.

– Tu es prêt? râle ton adversaire, impatient de prendre part au combat.

– Laisse-moi au moins plier correctement ma veste! La bagarre, ce n'est pas une raison pour avoir les vêtements fripés!

Ta mère rirait aux larmes de t'entendre dire une chose pareille (toi qui ne plies jamais aucun vêtement à la maison).

(N'oublie pas, Boris, que cette comédie sert à gagner du temps pour réfléchir à une solution!)

Tu tentes donc de réfléchir, mais Carl ne t'en laisse pas la chance. Il en a marre d'attendre et te pousse pendant que tu replies ta veste pour la énième fois. Tu te ramasses à terre.

La bagarre est commencée, mon cher!

(Oh là là! Je ne suis pas sûr que j'ai le courage de regarder ça...)

Au moment où tu te relèves, ton adversaire fonce de nouveau sur toi. Il a l'air d'un taureau enragé. Ton chandail rouge ne doit pas aider. (Avoir su, ce matin, tu aurais enfilé un vêtement d'une autre couleur!)

Quel moyen de défense utilises-tu?

A) Du doigt, tu lui fais signe d'attendre un instant et tu récites un poème. Pour déclamer des rimes, va au **40**.

B) Tu te mets à genoux pour implorer sa clémence, au **41**.

C) Tu fais un écran de fumée et tu disparais à la façon d'un magicien, au **42**. (Ah, c'est sûr que ça en mettrait plein la vue à tout le monde!)

38

Tu fais signe à ton adversaire d'attendre un instant avant de te mettre un doigt dans l'œil.

Tout le monde semble se demander ce qui se passe.

– Tu es prêt? s'impatiente la brute.

– Argh! J'ai une poussière dans l'œil! dis-tu, la tête levée vers le ciel.

– Bientôt, ce ne sera pas une poussière, mais mon poing que tu auras entre les deux yeux, réplique ton opposant.

(Entre toi et moi, je commence à être exaspéré par toute cette agressivité. Cela n'a pas du tout sa place dans une série aussi distinguée que celle des *Héros de ma classe*. Boris, je compte sur toi pour dire à Carl de se calmer le pompon!)

– Arrête avec tes menaces! On pourrait croire que c'est tout ce que tu sais faire dans la vie, distribuer des coups de poing. Calme-toi le pompon!

(Merci, Boris[43].)

Ta réplique est saluée par quelques sifflements.

Tu réclames ensuite l'aide de Maëlle. Pendant qu'elle observe ton œil à la recherche de cette damnée poussière qui n'existe pas, tu lui murmures:

---
43. Je t'en dois une.

– Je t'en supplie, viens à ma res-
cousse, sinon il va me démolir…

Ton adversaire commence à s'énerver:

– Je n'ai pas toute la journée!

– Respire par le nez! que tu lui ré-
ponds après t'être débarrassé de ta
poussière inventée.

Sans consulter personne, Xavier
prend l'initiative de jouer à l'arbitre.

– Je veux un combat propre, sans
bavures[44]. Pas de coups en bas de la
ceinture, pas de doigts dans les yeux
et pas de morsures. Allez, serrez-vous
la main…

---

44. Il a sûrement entendu cette réplique dans un film.

Carl tend sa main avec un sourire crasse. Il a la tête d'un gars qui prépare un mauvais coup. Obéis-tu à l'arbitre?

A) Oui, tu serres la main de Carl en guise de bonne foi, au **43**.

B) Non seulement tu la lui serres, mais pour rigoler, tu veux aussi lui faire un baisemain à la manière d'un gentleman d'une autre époque, au **44**. (Si tu veux mon avis, il ne va pas apprécier cette marque de courtoisie.)

C) Au lieu de lui serrer la main, tu le chatouilles, au **45**. (Si tu veux mon avis, je ne pense pas qu'il va rire.)

D) Tu refuses de lui serrer la main, au **46**. Les poignées de main, c'est pour les amis, pas pour les ennemis.

39

– Avant de me battre, j'ai besoin de m'échauffer ! confies-tu à ton adversaire en entreprenant une longue série de *jumping jacks*.

Carl est bouche bée.

Tu te justifies :

– Ben quoi ? Je n'ai pas le goût de m'étirer un muscle !

Ensuite, tu t'assois au sol et tu tentes de toucher tes orteils.

Tes camarades sont incapables de retenir leur envie de rire.

– Hé! On n'est pas ici pour faire du taï-chi! Lève-toi et montre-moi ce que tu as dans le ventre.

– J'ai un estomac et des intestins, comme tout le monde. Je ne vais pas m'ouvrir le ventre pour les exposer au grand air[45]!

Ton commentaire amuse la galerie. Mais pas Carl, qui te saisit par les épaules et te soulève du sol. Tout à coup, tu te sens léger comme une plume.

Eh bien, voilà! Ça m'a tout l'air que la bagarre est officiellement commencée.

Défends-toi du mieux que tu peux, au **47**.

---

45. Ouache! Voilà une image bien répugnante. À l'avenir, trouves-en de plus belles, s'il te plaît. (N'oublie pas que tu es dans un livre des *Héros de ma classe*!)

40

Carl s'immobilise aussitôt que tu lèves le doigt. Il se demande ce qui se passe. (Et moi, je me demande si tu connais un poème!)

Eh bien, oui! La semaine dernière, tu as aidé ton frère, qui est au secondaire, à apprendre par cœur un texte de Victor Hugo pour son cours de français et tu l'as mémorisé avant lui.

Tu déclares, de ta plus belle voix:

Aimons toujours! aimons encore!

Carl te regarde comme si tu étais une drôle de bibitte. De petits rires étouffés se font entendre. Tu poursuis :

Quand l'amour s'en va, l'espoir fuit.
L'amour, c'est le cri de l'aurore,
L'amour, c'est l'hymne de la nuit.

Les spectateurs rigolent de plus en plus fort. Carl Lebœuf a l'impression que tu te moques de lui. Il est si furieux que s'il était un personnage de bande dessinée, la fumée lui sortirait par les oreilles.

Ce que le flot dit aux rivages,
Ce que le vent dit aux vieux monts,
Ce que l'astre dit aux nuages,
C'est le mot ineffable : Aimons[46] !

---

46. Tu as envie de lire le poème en entier ? Eh bien, c'est ton jour de chance, je l'ai transcrit pour toi, au **48**. Fais le plein de rimes et de poésie !

Tu n'as pas l'occasion d'en réciter davantage, puisque Carl te cloue le bec... avec son poing. Bang!

Le coup est si puissant que tu te retrouves les fesses par terre, sonné.

Maëlle se porte aussitôt à ta défense.

– Il était en train de réciter de la poésie! Tu n'avais pas le droit de le frapper. Le combat n'était pas encore commencé.

Xavier, qui joue à l'arbitre, t'aide à te relever et lève ton bras bien haut.

– Voici le vainqueur du combat par disqualification! déclare-t-il.

Carl s'oppose à sa décision.

– Les bagarreurs ne sont pas des poètes! objecte-t-il.

– Pourquoi pas? rétorque Maëlle.

Frustré, Carl s'en prend à Xavier et commence à le pousser. Mais la bousculade ne va pas plus loin, car une sirène retentit.

Une voiture de police longe le parc au ralenti, puis s'arrête. Un policier sort du véhicule.

Carl, qui avait saisi Xavier par le collet, le lâche et prend aussitôt ses distances.

– Tout va bien, ici? s'informe le policier. Qu'est-ce que vous faites?

– Un récital de poésie, répond Xavier, qui te fait signe d'enchaîner.

Une main sur la mâchoire, tu déclares :

L'amour fait songer, vivre et croire.
Il a pour réchauffer le cœur,
Un rayon de plus que la gloire,
Et ce rayon, c'est le bonheur !

Le policier sourit, avant de demander :

– Tu as mal à une dent ?

– Une guêpe m'a piqué[47], expliques-tu en fixant Carl dans les yeux.

Le policier s'en retourne et Carl est soulagé que personne ne l'ait dénoncé.

Ton adversaire s'approche de toi.

Par réflexe, tu recules d'un pas.

---

47. Une chance que tu n'es pas allergique !

Il te tend la main en disant (une chose que tu croyais impossible) :

– Tu es un gars correct, l'avorton. Tu n'auras plus de problème avec moi.

Sur cette promesse, il s'en va.

«Victoire!» as-tu envie de crier (mais tu ne le fais pas, parce que ce serait trop bizarre).

Tout ça grâce au grand écrivain Victor Hugo!

Eh bien, mon cher Boris, je te trouve bien courageux d'avoir osé réciter un poème, mais j'ai le regret de t'annoncer que tu dois aller au **58**. (Je te félicite néanmoins pour ton audace!)

41

Tu te mets à genoux et tu joins les mains pour implorer la clémence de ton ennemi.

– Mais qu'est-ce que tu fais ? s'impatiente celui-ci.

– Une prière ! J'ai le droit, non ? Je vais me battre contre toi, j'ai donc besoin d'un miracle !

Tu pries entre autres pour que ton tortionnaire soit foudroyé par un éclair. (Boris, ouvre les yeux, le ciel est parfaitement bleu !)

– Lève-toi, maintenant! Je n'ai pas juste ça à faire! grogne ton adversaire.

– Tu es pressé? Tu as d'autres gueules à casser que la mienne? dis-tu en te redressant.

C'est alors que le miracle espéré se produit d'une façon insolite: un pigeon survole le parc et lâche une énorme fiente liquide dans la chevelure de Carl Lebœuf.

– Beurk! s'exclame-t-il pendant que les autres hurlent de rire.

Tu remercies mentalement cet allié ailé d'avoir largué sa bombe exactement au bon endroit[48].

---

48. Suggestion pour la Municipalité: rebaptiser le parc en remplaçant « des Colombes » par « des Pigeons ».

Hélas, ce n'est pas suffisant pour que le combat tombe à l'eau. Au contraire, Carl est dix fois plus en colère. Et il ose utiliser ta veste pour essuyer ses cheveux. Ah! l'ingrat!

Ensuite, il jette ton vêtement au sol et s'élance vers toi.

Bonne chance, Boris! C'est au **47** que tu dois aller maintenant (si tu en as le courage).

42

Quelle excellente idée, Boris! Tu pourrais aussi t'envoler dans le ciel ou encore te transformer en coccinelle. Pourquoi n'y as-tu pas pensé avant?

Eh bien, parce que tu n'es pas un magicien, mon cher. Ce serait chouette de pouvoir disparaître en claquant des doigts, mais ce n'est pas possible. Tu peux essayer autant de fois que tu voudras[49], cela ne marchera pas.

À présent, soit tu récites un poème à ton adversaire, au **40**, soit tu t'agenouilles pour implorer la clémence

---

49. Les autres vont penser que tu t'apprêtes à chanter une chanson.

de Carl Lebœuf, au **41**. (Moi non plus,
Boris, je n'ai pas un bon pressenti-
ment pour la suite...)

43

En effet, Carl est mal intentionné. Au moment où tu lui serres la main, il te tire vers lui et te flanque un coup de poing dans le ventre. Tu en as le souffle coupé.

L'arbitre intervient aussitôt:

– C'est un coup bas. Je n'avais pas annoncé le début du combat. Par conséquent, Carl Lebœuf est disqualifié.

Pour exprimer son désaccord, Carl pousse l'arbitre.

Grégory rouspète:

– Tu vas te battre contre nous tous, maintenant?

– Tu en veux vraiment à la terre entière, toi! lance Maëlle.

– Vous ne me faites pas peur! s'écrie Lebœuf d'un air défiant.

Pendant que tu luttes pour retrouver ton souffle, tu entends:

– Et si tu te battais contre moi?

La voix vient d'un peu plus loin.

Tu lèves la tête pour voir de qui il s'agit: Yoan Labrie, un ami de ton frère qui est au secondaire et qui s'adonne à passer par là. En l'apercevant, tu retrouves espoir, comme par magie.

– Tu t'en prends à plus petit que toi? constate le nouveau venu en se frayant un chemin jusqu'à ton adversaire.

Yoan participe régulièrement à des compétitions de boxe. Il est redoutable, ce qui se remarque au premier coup d'œil.

Tout à coup, Carl Lebœuf cesse de jouer au dur. C'est lui, maintenant, qui est petit dans ses souliers. Que c'est beau à voir!

– C'est lui qui a commencé, dit Carl en te pointant du doigt. Il m'a lancé un ballon dans la figure!

– Carl n'arrête pas d'embêter Boris, rectifie Maëlle.

Yoan Labrie fait danser ses poings devant lui pour montrer combien il est rapide et dangereux. Ensuite, il s'adresse à Carl (qui n'a aucunement envie de le défier) :

– Je te donne deux choix[50] : soit tu te bats contre moi, soit tu demandes pardon à Boris et tu lui promets de ne plus JAMAIS l'embêter.

– Pardon, te dit ton tortionnaire d'une voix à peine audible.

– Personne n'a entendu, indique Yoan. Je veux que tu lui demandes pardon à genoux.

Et voilà que Carl Lebœuf s'agenouille devant toi pour te présenter ses excuses. Tu as peut-être mal au ventre, mais juste pour cette scène, ça valait le coup !

---

50. Tiens, c'est au tour de Carl de choisir !

C'est ainsi que ça se termine pour toi, Boris.

Comme ton adversaire t'a frappé avant le début du combat, on ne peut pas dire que tu t'es vraiment bagarré contre lui. J'ai donc le regret de t'annoncer que même si les choses ont finalement bien tourné, tu as échoué.

Va au **58** pour revoir les objectifs de ce livre.

44

Lorsque tu te penches pour déposer tes lèvres sur la main de Carl, il la retire et te pousse si fort que tu tombes sur le derrière.

– Ça ne va pas, la tête ?! s'écrie-t-il, décontenancé.

Et voilà que commence le combat du plus petit de la classe de madame Anne contre le plus gros de l'école des Quatre-Saisons !

Aussitôt que tu te relèves, Carl fonce dans ta direction avec l'intention d'en découdre.

Sauve-toi au **51**, Boris, et bonne chance!

45

Je ne sais pas ce qui se passe dans ta tête, mais tu fais des guili-guili sous le bras de Carl Lebœuf.

L'effet est instantané : le public rigole. Sauf Carl (alors que c'est lui qui devrait rire, normalement).

C'est même l'inverse qui se produit : il est furieux.

C'est sur cette note que commence la bagarre, au **47**. (Boris, ça m'a fait plaisir de te connaître.)

46

Non, il est hors de question que tu serres la main à ton tortionnaire. Tant qu'à y être, l'arbitre aurait pu vous demander de vous faire la bise !

– C'est très antisportif comme attitude, Boris, note Xavier.

Aux dernières nouvelles, la bagarre de rue n'est pas un sport. En tout cas, si c'en est un, il n'est pas présent aux Jeux olympiques.

– Vous êtes prêts ? demande Xavier.

Carl fait signe que oui.

Toi, tu ne bouges pas (mais la réponse est : bien sûr que non).

– Ding! ding! fait l'arbitre avec sa bouche.

J'espère que tu es en forme, Boris. Si oui, rue-toi au **49** (sinon, eh bien, c'est quand même au **49** que tu dois aller).

47

D'un geste vif, l'imposant Carl Lebœuf te saisit à la gorge. Tu as l'impression qu'il serait capable de te soulever de terre d'une seule main, comme les méchants dans les films de superhéros.

Lorsque tu ouvres la bouche pour le supplier de te lâcher, il se produit un truc inusité : tu avales une mouche[51]. (Quelles sont les chances, hein ?)

Voyant que tu t'étouffes, ton adversaire relâche son étreinte.

---

51. Le plus fou, c'est que cela t'est déjà arrivé une fois, cette année. Ton haleine attire-t-elle vraiment les petites bestioles ?

Tu tousses un bon coup, puis la mouche refait son apparition. Les spectateurs observent la scène, bouche bée (en veillant bien sûr à bloquer l'accès aux bibittes qui voudraient entrer). Et pendant que tu regardes la visiteuse s'envoler au loin[52], tu reçois un coup de poing sur le nez. Bang!

La douleur est grande, mais supportable. Non, le plus inquiétant, c'est le sang qui se met à gicler.

(Quoi?! En plus de la violence, il y a aussi du sang dans ce livre[53]?)

Tu saignes tellement que Xavier met fin au combat en déclarant Carl Lebœuf vainqueur. Personne n'applaudit.

---

52. Ton haleine ne lui plaisait pas tant que ça, finalement.
53. Je te jure, si ça continue, je change de métier!

Maëlle s'empresse de sortir un paquet de mouchoirs de son sac et d'essuyer le sang qui n'arrête pas de couler (comme si tes narines s'étaient soudainement transformées en robinets).

Elle demande d'une voix douce comment tu te sens. Pour être honnête, tu ne vas pas si mal. Il y a pire dans la vie que d'être traité aux petits soins par la belle Maëlle[54]. De plus, tu es bien content que ce combat ridicule soit enfin terminé.

Moi aussi, je suis content pour toi, Boris. Mais en raison de ce coup que tu as reçu et de tout ce sang que tu dois éponger, eh bien, tu as échoué dans ta mission.

---

54. Mon petit doigt me dit que tu ne serais pas fâché de recevoir un mot d'amour de Maëlle à la Saint-Valentin. Je me trompe ?

Tiens, je t'invite à aller au **58** pour revoir les objectifs de ce livre.

48

Le poème est tiré des *Contemplations* de Victor Hugo, un des plus grands écrivains de langue française!

Comme le texte est un peu long, voici les premières strophes[55]:

Aimons toujours! aimons encore!
Quand l'amour s'en va, l'espoir fuit.
L'amour, c'est le cri de l'aurore,
L'amour, c'est l'hymne de la nuit.
Ce que le flot dit aux rivages,
Ce que le vent dit aux vieux monts,
Ce que l'astre dit aux nuages,
C'est le mot ineffable: Aimons!

---

55. Tu connais les trois premières strophes par cœur, mais inutile d'apprendre les autres, hein! (À moins que tu y tiennes…)

L'amour fait songer, vivre et croire.
Il a, pour réchauffer le coeur,
Un rayon de plus que la gloire,
Et ce rayon, c'est le bonheur !
Aime ! qu'on les loue ou les blâme,
Toujours les grands coeurs aimeront.
Joins cette jeunesse de l'âme
À la jeunesse de ton front !
Aime, afin de charmer tes heures !
Afin qu'on voie en tes beaux yeux
Des voluptés intérieures
Le sourire mystérieux !
Aimons-nous toujours davantage !
Unissons-nous mieux chaque jour.
Les arbres croissent en feuillage ;
Que notre âme croisse en amour !

(Au cas où tu ne t'en souviendrais plus, tu étais rendu au **40**.)

49

Le combat est officiellement commencé (malheureusement).

Sans plus attendre, Carl se rue sur toi, content de pouvoir enfin régler ses comptes.

Que fais-tu, Boris? Tu dresses les poings? Tu prends un air méchant? Tu éternues? Tu regardes les nuages? Tu chasses les papillons? Tu effectues quelques pas de ballet classique[56]?

A) Tu t'évanouis, au **52**. (Tu es capable de perdre connaissance sur commande, toi?)

---

56. J'espère pour toi que tu as de meilleures idées que celles-là!

B) Tu esquives tous ses coups, au **53**. (Tu as déjà pratiqué la boxe ? Non ? Eh bien, bonne chance !)

C) Tu fonces sur lui en hurlant, au **54**. (Fais sortir le grand guerrier qui sommeille en toi !)

D) Pour effrayer ton adversaire, tu lui fais croire que tu es un spécialiste du karaté, au **55**. (Penses-tu vraiment que Carl sera intimidé ?)

50

Tu levais le bras et tout le monde t'acclamait, c'est ça?

En réalité, Carl Lebœuf t'a envoyé au tapis au premier coup. Ensuite, Xavier a secoué ton bras pour te faire revenir à toi. Et les acclamations sont plutôt des cris d'inquiétude.

Eh oui, c'était trop beau pour être vrai!

Pendant que tu reprends connaissance, tu entends Maëlle sermonner ton adversaire:

– Tu n'as aucun mérite de t'en prendre à plus petit que toi! Bats-toi contre des gars de ta taille, pour voir.

Tes amis se mettent de la partie. Devant la colère de Maëlle, ils trouvent à leur tour le courage d'exprimer le fond de leur pensée.

– On a vu comment tu traites Boris. C'est fini. On ne te laissera plus faire! lance Jérémie.

– C'était la dernière fois que tu levais la main sur lui, renchérit Grégory.

– Et tu ferais mieux de décamper si tu ne veux pas qu'on raconte tout à la directrice, le menace Quentin.

– J'ai tout filmé avec mon téléphone, ment Maëlle.

Carl Lebœuf se sent moins fier tout à coup. Il commence à paniquer. Il veut répliquer mais, ne trouvant pas les mots, il décide de ficher le camp. Ce qui vous donne une impression de victoire.

Et c'en est une, car après cette bagarre, Carl te laisse enfin tranquille. Même que le lendemain, il vient te voir pour s'excuser.

– Je ne sais pas pourquoi je m'en suis pris à toi. Tu es un gars gentil, sympathique, de bonne humeur. Cette nuit, j'ai mal dormi en pensant à tout ce que je t'ai fait subir. Je regrette sincèrement, Boris. Sauras-tu un jour me pardonner?

Bon, en réalité, il a juste murmuré: « S'cuse », mais tu as vu dans ses yeux qu'il aurait aimé en dire plus.

Une belle fin, non ? Mais douloureuse, car ton rival ne t'a pas manqué.

Dernier arrêt au **58**, mon cher !

51

Le combat est officiellement commencé (malheureusement pour toi).

Sans plus attendre, Carl se rue sur toi, content de pouvoir enfin régler ses comptes.

Que fais-tu, Boris? Tu dresses les poings? Tu prends un air méchant? Tu éternues? Tu regardes les nuages? Tu chasses les papillons? Tu effectues quelques pas de ballet classique[57]?

A) Tu t'évanouis, au **52**. (Tu es capable de perdre connaissance sur commande, toi?)

---

57. Voilà de bien drôles d'idées, Boris!

B) Tu esquives tous ses coups, au **53**. (Tu as déjà pratiqué la boxe ? Non ? Eh bien, bonne chance !)

C) Pour effrayer ton adversaire, tu lui fais croire que tu es un spécialiste du karaté, au **55**. (Penses-tu vraiment que Carl va gober ça ?)

52

Pouf! Tu te laisses tomber au sol comme une grosse pâte molle. Carl n'a même pas eu besoin de te toucher pour te mettre K.-O.

En vérité, tu ne t'es pas évanoui, tu as fait semblant de t'évanouir.

Amusés par ton astuce, quelques élèves pouffent de rire.

– Allez, lève-toi, l'avorton! ordonne Carl qui, lui, n'est pas d'humeur à rigoler.

(Bien entendu, tu ne peux pas répondre, car en théorie, tu as perdu connaissance.)

En tant qu'arbitre, Xavier vient voir si tu vas bien. Il te tapote les joues en murmurant :

– Te coucher est la meilleure décision que tu pouvais prendre.

Ensuite, il lève le bras de Carl Lebœuf en déclarant haut et fort :

– Félicitations à Carl Lebœuf, le vainqueur de cette bataille épique !

Tes amis l'applaudissent à tout rompre, mais Carl n'est pas dupe, il sent bien qu'on se moque de lui.

– Si tu ne te redresses pas, l'avorton, je te promets que ta vie à l'école deviendra un véritable enfer!

Un drôle de silence plane tout à coup.

Puis, à ton grand étonnement, tu entends la voix de madame Anne:

– Tu peux répéter, Carl?

Tu rouvres aussitôt les yeux, car tu ne veux rien manquer de ce spectaculaire revirement de situation.

Carl Lebœuf cherche à se justifier, mais il ne fait que bafouiller des sons incompréhensibles.

– Pourquoi Boris est-il allongé par terre? Tu l'as touché, Carl? s'enquiert ton enseignante.

– Je-je-je vous ju-ju-jure que non!

Ah, ça, c'est la meilleure : Carl devient bègue!

– Il-il est tom-tombé tout-tout seul, ma-ma-madame!

– On en reparlera demain matin dans le bureau de la directrice, déclare une madame Anne que tu as rarement vue aussi fâchée.

Et les élèves se dispersent peu à peu, il n'y a plus rien à voir, le spectacle est terminé.

Et toi, tu t'en es drôlement bien tiré, n'est-ce pas?

Tu te demandes sûrement pourquoi ta prof est apparue comme par magie au parc. Eh bien, c'est Quentin qui a subitement eu peur pour toi et qui a couru comme un dératé jusqu'à l'école pour l'en informer. Sans lui, tu serais sans doute dans de beaux draps en ce moment. (Faudra que tu penses à le remercier!)

Bravo, mon cher!

Tu as vraiment bien agi. Seul bémol: tu n'as pas vraiment pris part au combat. Tout ce que tu as fait, c'est te laisser tomber par terre. (Je sais que c'est mieux que de se bagarrer, mais ça ne répond pas aux objectifs du livre.)

Hélas, je dois donc en conclure que tu as échoué. Si tu veux réussir ta mission, tu n'as pas le choix d'affronter Carl.

Allez, retourne au **1** et essaie une nouvelle fois. Je suis sûr que tu n'as pas dit ton dernier mot!

53

C'est le temps de faire un Rocky Balboa[58] de toi.

Tu te sens d'attaque (enfin, tu préfères te faire croire que tu l'es).

Carl veut frapper tellement fort qu'il recule le bras loin derrière avant d'élancer son poing, ce qui rend ses coups prévisibles. Bien sûr, tu en profites.

Il décoche une droite. Tu parviens à l'esquiver. (Bravo, Boris!)

---

58. Tu ne connais pas Rocky? Demande à ton père de te parler de ce personnage de cinéma iconique. C'est sûr qu'il le connaît!

Il envoie une gauche. Tu baisses la tête juste à temps. Ton opposant frappe dans le vide. (Encore bravo ! Continue comme ça.)

Ensuite, il balance une droite fulgurante que tu n'as pas anticipée. Oh, oh !

Va voir au **33** si tu réussiras à l'éviter.

54

– Ahhh! cries-tu en chargeant comme un taureau[59].

Ton ennemi est si énorme que tu as l'impression de te battre contre King Kong. Mais à cette seconde précise, tu n'as plus peur de lui. Tu comptes le faire payer pour le calvaire qu'il t'impose au quotidien.

Tu lui rentres dedans avec aplomb. Bang!

Il ne bouge pas d'un centimètre. Pire que ça, ton attaque l'amuse.

---

59. Un mini-taureau.

Ensuite, il t'attrape et te repousse de toutes ses forces. Tu revoles trois mètres plus loin, jusqu'à ce que ton dos heurte un arbre. Aïe!

Tu le savais, mais maintenant tu en as la preuve: Carl est fort comme un bœuf[60].

Le temps que tu te ressaisisses, il balance son poing en direction de ton joli visage. (Misère! Je déteste la violence. Je ne veux pas voir ça!)

Au dernier moment, tu écartes la tête et son poing s'écrase contre le tronc d'arbre.

La petite foule de spectateurs émet une clameur de soulagement (pour ta face) en même temps que Carl pousse un cri de douleur.

---

60. Encore une fois, il porte bien son nom.

Il te regarde, l'air mauvais, et se jette de nouveau sur toi. Ton réflexe est de te sauver.

A) Pour te réfugier derrière Grégory et Quentin, va au **56**.

B) Pour te planquer derrière un autre arbre (puisque visiblement les arbres sont tes alliés aujourd'hui), va plutôt au **57**.

55

Tu prends une pose de karatéka et tu bouges les bras en poussant des cris aigus comme dans les films de kung-fu.

Si les spectateurs semblent apprécier ta comédie, Carl n'est pas le moins du monde impressionné. Il affiche un rictus condescendant, convaincu qu'il te mettra K.-O. en deux temps, trois mouvements.

À la manière de Jackie Chan (ou de Bruce Lee, tu ne sais plus), tu fais signe à ton adversaire d'attaquer le premier.

Carl envoie un premier coup de poing en direction de ta figure. Toi qui n'as

pourtant jamais pratiqué d'art martial, tu dévies le coup avec aisance et
tu contre-attaques en le frappant au
ventre. Wow! Se battre est beaucoup
plus facile que tu le croyais.

Poussant un cri de rage, ton opposant
fonce sur toi. Encore plus incroyable,
tu effectues un bond de deux mètres
de hauteur, passant carrément
au-dessus de sa tête.

Il n'en revient pas. Toi non plus.

La bagarre se poursuit. Chaque fois
que tu esquives un de ses coups, tu
lui tires une oreille, tu lui pinces le
nez ou tu le décoiffes avec la main.

Jamais, au grand jamais, tu n'aurais
imaginé que tu possédais de telles
aptitudes au combat.

À un moment donné, tu glisses entre les jambes de ton rival avant de baisser son pantalon. Alors qu'il se penche pour le remonter, tu lui assènes une pichenette sur le nez. Le public en liesse rit à gorge déployée.

Puis, à la façon d'un chimpanzé, tu grimpes sur son dos et tu lui fais la célèbre prise du sommeil. Dix secondes plus tard, l'élève le plus coriace de l'école des Quatre-Saisons roupille.

Et toi, tu lèves les bras en signe de victoire. Tout le monde t'acclame.

Quelle conclusion satisfaisante, n'est-ce pas?

Hélas, ça ne s'est pas produit comme ça. Va au **50** pour découvrir comment les choses se sont réellement passées.

56

Tu te caches derrière tes amis.

Même s'il est effrayé, Grégory prend ta défense :

– Laisse mon ami tranquille et on va dire que tu as gagné le combat, d'accord ?

Réponse de Carl : « Grrrrr. »

Il écarte Grégory pour découvrir que tu n'es plus derrière lui. Non, car tu es en train de courir vers la table de pique-nique. Tu as besoin de mettre un obstacle entre ton ennemi et toi.

S'il bouge d'un côté, tu te déplaces de l'autre, si bien que vous tournez en rond pendant un moment.

Carl étire le bras pour essayer de t'attraper, en vain. Puis, il fait une drôle de face en frappant l'air devant lui, comme s'il était subitement devenu maboul.

– Aïe! crie-t-il en se tapant l'épaule.

À ton grand étonnement, il s'assoit sur le banc, éprouvant soudainement de la difficulté à respirer.

– Qu'y a-t-il, Carl? t'informes-tu en t'approchant de lui prudemment.

– Une guêpe m'a piqué. Je suis SU-PER allergique! Je traîne toujours un

ÉpiPen[61] dans mon sac, mais il est resté à l'école.

Quoi? Une petite guêpe est plus forte que l'immense Carl Lebœuf?

– Est-ce que je peux faire quelque chose? lui offres-tu.

– Faudrait retourner à l'école chercher mon sac, mais ça risque de prendre trop de temps, précise-t-il, de plus en plus affolé.

Pendant que tu réfléchis à toute vitesse, les autres se rapprochent, intrigués.

– Quelqu'un a un épi de peine? dis-tu, un peu énervé.

---

61. Il s'agit d'un auto-injecteur (une sorte de seringue) d'épiné-phrine, un médicament qui adoucit instantanément les réactions allergiques et qui, dans certains cas, peut sauver une vie.

Bien sûr que non. Rares sont les gens qui traînent de l'épinéquelquechose avec eux. La seule personne que tu connais qui possède ces seringues, c'est ta tante Raymonde, qui – tiens, tiens – habite justement à un coin de rue.

– Ne bouge pas! dis-tu à Carl avant de piquer un sprint jusque chez ta tante.

Heureusement, elle est là.

– Oh! Boris! De la belle visite!

Tu ne tournes pas autour du pot. Chaque seconde compte.

– Un ami s'est fait piquer par une guêpe et il est gravement allergique. As-tu un épi de peine que je peux t'emprunter?

Raymonde comprend l'urgence de la situation et, en moins de 10 secondes, elle dépose un tube dans ta main.

– Dépêche-toi, Boris!

Ta course reprend.

Carl est toujours assis à la table de pique-nique.

Tu lui remets le tube. Il en extirpe une seringue qu'il plante aussitôt dans sa cuisse, sans émettre le plus petit «ayoye».

L'effet est miraculeux. En quelques secondes, il reprend du mieux.

Puis, il lève vers toi des yeux remplis de gratitude. (Après tout, tu lui as peut-être sauvé la vie.)

– Merci, balbutie-t-il, soulagé.

Eh bien, crois-le ou non, Boris, mais le lendemain, Carl vient te voir à ton casier pour s'excuser de t'avoir maltraité.

Puis, il te tend la main.

Est-ce que tu la lui serres, cette fois ?

Bien sûr ! Qui sait, peut-être qu'un jour, ce sera son tour de te venir en aide ?

Bravo, Boris ! Tu as rempli les objectifs de ce livre. Tu as réussi à affronter l'élève le plus coriace de l'école sans te faire de mal et, surtout, tu as gagné son respect en le tirant d'un mauvais pas. (Mais tu es un véritable héros, ma parole!)

Je suis vraiment fier de toi.

La seule chose que je trouve à redire, c'est que tu devrais régler tes problèmes d'une autre façon que par la violence. Là, tu es chanceux, ça s'est bien terminé pour toi, mais ça aurait pu se passer autrement.

D'ailleurs, si tu as envie de recevoir un coup de poing sur le nez, rien ne t'empêche de recommencer l'aventure, au **1**, et d'essayer de nouvelles options. (Mais je t'avertis, ça risque de faire mal!)

57

Eh bien, non! Apparemment, les arbres ne prennent pas parti dans cette bagarre. En voici la preuve...

Alors que tu cours en direction de l'arbre, ton pied s'accroche dans une racine et ta tête percute l'arbre de plein fouet. Bang!

Tu tombes par terre, assommé.

Tu as l'impression qu'on a donné un grand coup de gong à l'intérieur de ton crâne, tant ça résonne.

Voyant bien que tu as ton compte, Carl s'arrête. Il se tient la main, car lui aussi a mal. (Tu vois ce que ça fait, les bagarres ?)

Xavier déclare que le combat est terminé et qu'aucun des pugilistes n'est vainqueur. C'est match nul.

Grégory, Quentin et Maëlle se ruent vers toi pour constater l'ampleur des dommages.

Tu te remets du choc petit à petit.

– Houla ! Tu vas avoir un ÉNORME bleu au milieu du front, prédit Maëlle.

Carl jette un œil inquiet sur ta blessure. (À voir la grimace qu'il fait, ton visage ne doit pas être joli, joli.)

– Ça va, la tête ? s'enquiert Carl.

– Je vais survivre. Et toi, la main ?

– Je crains une fracture...

Avant de te laisser, il ajoute :

– Tu es peut-être petit, l'avorton, mais tu ne manques pas de courage.

En entendant ça, tu sais qu'il ne t'embêtera plus, qu'en acceptant de l'affronter, tu as en quelque sorte gagné son respect[62].

C'est ainsi que ça se termine, Boris. Si cet arbre ne s'était pas trouvé sur ton chemin, tu aurais sans doute réussi.

Tiens, je me sens charitable aujourd'hui. (Avec ton mal de tête, c'est la moindre des choses que je puisse

---

62. Je suis content pour toi, Boris, mais tu sais qu'on peut gagner le respect de quelqu'un autrement qu'en se battant contre lui ? Si, si !

faire pour toi, n'est-ce pas?) Je te permets de revenir quelques minutes en arrière et d'aller te réfugier derrière tes amis plutôt que derrière cet arbre sans merci.

Pour effectuer un petit bond dans le passé, recule d'un numéro (c'est au **56**).

58

Eh oui, c'est la fin! La preuve...

Je te rappelle, Boris, que pour réussir cet épisode, il faut que tu affrontes Carl Lebœuf sans recevoir le moindre coup au visage. Et non seulement ta figure doit rester intacte, mais tu dois également gagner le respect de ton adversaire pour qu'il arrête de t'importuner à tout bout de champ. Gros contrat, n'est-ce pas?

Sur ce, je te propose de réessayer en retournant au **1**.

Je parie que la prochaine fois sera la bonne!

J'ai confiance en toi, Boris. Tu es un garçon sensible et intelligent, tu trouveras un moyen de te faire respecter du terrible et terrifiant Carl Lebœuf.

Bonne chance, mon ami!

Poursuivez votre expérience

sur notre site Web.

Vous pouvez aussi visiter notre page Facebook

www.facebook.com/EditionsFoulire/

Les Héros de ma classe
HISTOIRE DONT TU ES LE HÉROS

Auteur : Jocelyn Boisvert
Illustrateur : Philippe Germain

Jocelyn Boisvert a aussi écrit aux éditions FouLire :

- Mon ami Sam est gentil mais… tellement casse-pieds !
- Ma voisine est gentille mais… pas avec moi !
- Série Esprits de famille (6 tomes)
- Coll. Bonzaï : La boucle infernale et Accidents de parcours